격렬하게 불변하는

동트기 전 하늘은 암녹색.
아마도 어떤 상징.
나는 상징에 관해 더 배워야 한다.

모퉁이 돌아 항구로
바람이 몰아쳐
얼굴을 친다.

나는 늘 아침 산책을 하지.
왜인지는 이제 모르겠다.
생은 짧다.

그림자가 앞서간다.
후드 쓴 모양이
걸어 다니는 안개 경적 같다.

길에 얼음.
보도에 얼음.
발 디딜 곳 없지.

자잘한 검은 돌이 깔린 곳을
딛는 게 낫다.
그렇게 미끄럽지 않지.

이 자잘한 검은 돌이
용암일 수도 있지 않을까.
아니면 괜한 엉뚱한 생각인지도.

한 남자가 작은 개를 데리고
서둘러 지나친다.
아무도 인사를 건네지 않는다.

분홍색으로 차려입은 여학생이 지나간다.
내 얼굴을 쳐다본다.
아무도 인사를 건네지 않는다.

이처럼 일찍 나와
돌아다니는 안개 경적을 보리라곤
아무도 기대하지 않지.

바람이 더 세차게 밀어댄다.
나도 마주 밀어본다.
집에 거의 다 왔다.

나는 왜 여기 왔을까.
매일 새로운 바람.
생은 마주 미는 것.

이제 날이 밝는다.
항구 위로
금빛 눈꺼풀이 열린다.

여기 사는 사람들은
바람에 관해
불평하지 않는 법을 배운다.

집에 들어간다. 차를 끓인다.
통곡물 시리얼을 먹는다.
프루스트 세 쪽을 읽는다.

프루스트는 투덜거리고 있다
(때는 1914년이다)
기자들이 '사부아(savoir)'[1] 동사를 쓰는 방식에 대해.

그는 말한다 그들이
미래의 상징으로서가 아니라
자기들 욕망의 상징으로 쓰고 있다고-

자신들이 원하는 미래 모습의 신호로.
그게 왜 문제지? 나는 생각한다.
나는 상징에 관해 더 배워야 한다.

스티키스홀뮈르[2]에서 첫 산책을 나간 첫날 아침에
처음으로 본 것은
까마귀였다.

의자만큼 큰 까마귀.
저 집 꼭대기에 웬 의자가 있지? 생각하는데
그게 퍼덕거리며 날아갔다.

그렇게 큰 까마귀는 레이븐이라 불린다.
린네의 생물 분류 체계에 따르면 '코르부스 코락스'.
한 마리 한 마리가

내가 있던 나라에서
까마귀 한 부대가 내는 소리를 낸다.
문학 작품에서 레이븐에 관해 찾아보면

반복적으로 사용되는 세 가지 형용사
'잡식의'
'유해한'

'단혼제(單婚制)를 따르는'
나는 '단혼제를 따르는'에 관심이 있다.
나는 작년 오월에 결혼했고

스티키스홀뮈르에서 밀월을 보냈다.
올해는 남편과 같이
스티키스홀뮈르에서 살려고 돌아왔지

석 달 동안 작은 방 한 칸에서.
이 극단적인 단혼제는
과하다 싶게 많은 것을 증명해주었다.

서로를 살해하는 대신
우리는 수영장과 가까운 다른 집
(그레타의 집)을

한 군데 더 임대했다.
이제 우리는 행복하게
이혼제(二婚制).

두 집 다
지붕에 레이븐이 있다.
어쩌면 같은 레이븐일 것이다.

확신은 못한다.
로니 혼이 여기 있다면
레이븐들이란

물과 같다고,
격렬하게 불변한다고 말하겠지.
그들은 아이슬란드의 상징이다.

나는 상징에 관해 더 배워야 한다.
나는 도서관에서 살려고
스티키스홀뮈르에 왔다.

그 도서관에는 책이 아니라
빙하가 있다.
빙하들이 똑바로 서 있다.

고요하다.
책들만큼이나 완벽하게 정돈된 채.
하지만 빙하는 녹는다.

녹은 책들의
도서관에서 사는 건
어떤 기분일까?

바닥에 흘러넘치는 문장들과
맨 밑에 찌꺼기로 고이는
모든 구두점과 함께.

어리둥절하리라.
용서할 수 없는.
모험.

로니 혼이 언젠가 말해준 적이 있지
북극 탐험가 중 한 명이 했다는 말
'모험을 하고 있다는 건

무능의 신호.'
내 가장 심한 무능을
느낄 때

스티키스홀뮈르에서 그러듯이
바람 속으로 걸어 들어가는
숱한 어둑한 아침

나는 마음속에서
무능에 반대되는 무언가를 불러내려 애쓴다.
예를 들자면 달걀.

완벽한 형태.
완벽한 내용.
완벽한 음식.

'꿈속에서는'
보다 최근의 북극 탐험가(안나 프로이트)가 말했지
'원하는 대로 완벽하게 달걀을 요리할 수 있지만

먹을 수는 없다.'
때로 밤에
바람 때문에

잠들지 못할 때
나는 빙하 도서관에
가서 선다.

나는 다른 세상에 선다.
과거도 아니고 미래도 아니다.
천국도 아니고 현실도 아니고

꿈도 아니다.
'다른' 능력.
격렬하게 불변하는.

그리고 그게 왜 존재하는지 누가 아는가.
나는 빙하 가운데 선다.
밤과 공간의 바깥 가장자리에서부터 내게로 추락하는.

바깥의 바람 소리를 들으며.
왜 우리가 여기 있는지
또는 우리 중 누가 어떤 것의 상징인지

내겐 아무 이론이 없다
하지만 스티키스홀뮈르의 밤바람에 반향하는
녹은 빙하의 방은

그걸 곰곰이 생각하기에 좋은 장소지.
모든 빙하는 기억이 그렇듯이
저 밑에서부터 불이 밝혀진다.

프루스트는 기억에 두 가지 종류가 있다고 한다.
독서용 안경을 어디에 뒀는지
떠올리려는 일상의 분투가 있고

마음속
저 밑에서부터 올라오는
더 깊은 갈망의 돌풍이 있지

저도 모르게 부는.
갑작스러운 때.
기습적인 이유로.

1913년
프루스트가 쓴 편지에 이런 구절이 있다.
'우리는 우리가 죽은 이들을 더는 사랑하지 않는다 생각하지만

그건 우리가 그들을 상기하지 않기 때문이야.
갑자기
우리는 낡은 장갑 한 짝을 발견하고는

눈물을 터뜨리지.'
도서관을 나서기 전에
불을 끈다.

빙하들이 캄캄해진다.
그러고는 그레타의 집으로 돌아간다.
남편을 깨운다.

달걀 요리 좀 해달라고.

[1] 프랑스어 savoir 동사는 알다, ~할 능력이 있다, 이해하다, 식별하다 등의 뜻으로 쓰인다.

[2] 스티키스홀뮈르(Stykkishómur)는 아이슬란드 서부 스나이펠스네스 반도 북쪽에 위치한 소도시로 지역의 거점 도시다.